Princesse Anna

et Noires-Moustaches

Cet ouvrage a initialement paru en langue anglaise en 2008
chez Orchard Books sous le titre :
Princess Hannah and the Little Black Kitten.

Adapté de l'anglais par Natacha Godeau

Mise en page et colorisation : Valérie Gibert et Philippe Sedletzki

Hachette Livre, 43 quai de Grenelle, 75015 Paris

Vivian French

Princesse Anna
et Noires-Moustaches

hachette
JEUNESSE

Institution

pour Princesses Modèles

Devise de l'école :

Une Princesse Modèle
est honnête, aimable
et attentionnée.
Le bien-être des autres
est sa priorité.

Le Château de Nacre dispense un enseignement complet, éducation artistique comprise, à l'usage des princesses du Club du Diadème.

Notre programme inclut :

- Championnat d'Athlétisme Princier
- Excursion aux Monts Légendaires
- Stage d'écriture pour la Cérémonie du Cygne d'Argent
- Visite du Musée de la Musique du Roi Rudolphe III

* * *

Notre directeur, le Roi Édouard, habite l'aile principale du Château. Nos élèves sont placées sous la surveillance de l'Enchanteresse en Chef Marraine Fée, et de son assistante Fée Angora.

Notre équipe compte entre autres :

• La Reine Marjorie
(Éducation Sportive)

• Lady Hortense
(Secrétaire de Direction)

• Lord Henri
(Sciences de la Nature)

• La Reine Mère Matilda
(Maintien, Bonnes Manières et Art Floral)

Les princesses du Club du Diadème
reçoivent des Points Diadème afin
de passer dans la classe supérieure.
Celles qui cumulent assez de points
au Château de Nacre accèdent
au Bal de Promotion, au cours
duquel elles se voient attribuer
leur prestigieuse Écharpe de Nacre.
Les princesses promues intègrent
alors en cinquième année
le Manoir d'Émeraude,
notre établissement de très haut
niveau pour Princesses Modèles,
afin d'y parfaire leur éducation.

Le jour de la rentrée, chaque princesse est priée de se présenter à l'Académie munie d'un minimum de :

- Vingt robes de bal (avec dessous assortis)
- Cinq paires de souliers de fête
- Douze tenues de jour
- Trois paires de pantoufles de velours
- Sept robes de cocktail
- Deux paires de bottes d'équitation
- Douze diadèmes, capes, manchons, étoles, gants, et autres accessoires indispensables.

Bonjour !
Je suis Princesse Anna, de la Chambre des Lys.
Mes meilleures amies, les Princesses Isabelle,
Lucie, Inès, Emma et Sarah, se joignent à moi
pour te souhaiter la bienvenue !
Nous ne nous quittons jamais, toutes les six.
Nous venons juste d'arriver au Château
de Nacre, et nous avons vraiment hâte
d'aller en classe !

Dommage que les jumelles Précieuse et Perla
soient là, elles aussi. Ces deux horribles pestes
embêtent toujours tout le monde !

À Princesse Hannah et à la Reine Val,
sa prodigieuse grand-mère, V.F.
Remerciements spéciaux à J.O.

Chapitre premier

Je me réveille et je regarde autour de moi, tout étonnée. C'est vrai ! Je suis au Château de Nacre ! Je viens de passer ma première nuit dans mon nouveau dortoir, la Chambre des Lys.

Je plisse les yeux, dans le noir. J'aperçois mes cinq meilleures amies. Lucie, qui cache sa tête sous l'oreiller, comme toujours. Sarah, qui ronfle un peu. Inès et Isabelle, qui dorment aussi tranquillement. Par contre, Emma est assise

au bord de son lit. Elle chuchote :

— Bonjour, Anna ! Tu as vu notre chambre ? C'est la plus jolie qu'on ait jamais eue. Elle est entièrement décorée de lys.

— Celle des Tours d'Argent aussi ! je proteste.

— Mais celle-ci est quand même beaucoup, beaucoup plus jolie…

Je souris. Emma a raison ! À cet instant, Inès bâille fort et s'étire.

— Ah ! Je suis si contente ! dit-elle. Vous savez, vous m'avcz manqué, pendant les vacances !

Emma hoche la tête. Je l'imite aussitôt. Nous sommes inséparables, toutes les six !

— Par contre, Précieuse et Perla ne me manquaient pas, ajoute Inès. Dommage qu'elles soient là... Vous croyez qu'elles sont toujours aussi méchantes ?

— « Une Princesse Modèle ne dit jamais de mal des autres », récite alors Emma en se levant.

Elle soulève l'oreiller de Lucie et tire sur les couvertures de Sarah et d'Isabelle.

— Debout là-dedans ! C'est la rentrée !

Lucie se frotte les paupières. Elle demande :

— Vous avez fait de beaux rêves ?

Mais un *toc ! toc !* impatient, à la porte, nous interrompt. Marraine Fée entre à grands pas, l'air mécontent…

— Que faites-vous donc, Chambre des Lys ? Vous traînez au lit alors que la cloche du petit-déjeuner a sonné il y a déjà longtemps !

Nous la fixons sans comprendre. Je bredouille :

— Nous n'avons rien entendu, Marraine Fée.

— Voici ce qui arrive lorsqu'on bavarde dans son lit au lieu de dormir, mes enfants. Le lendemain, on n'arrive pas à se réveiller !

Nous baissons les yeux. Elle a raison, nous avons parlé tard, hier soir. Mais nous avions tant de choses à nous raconter : nous ne nous étions pas vues depuis des semaines !

— Allons, dépêchez-vous ! ordonne Marraine Fée. Le Roi Édouard ne plaisante pas avec la ponctualité. Sa devise est : « Une Princesse Modèle se présente toujours à l'heure. »

Nous rougissons. Elle reprend :

— Habillez-vous et excusez-vous auprès de notre directeur. Vous n'allez tout de même pas débuter l'année avec des Points Diadème en moins !

Et elle sort en claquant la porte.

Vite, nous courons à la salle de bains. Nous sautons dans nos

vêtements, puis nous nous précipitons dans le couloir. Nous dévalons l'escalier quand, tout à coup, Sarah s'arrête en plein milieu des

marches. Résultat : nous nous rentrons toutes dedans… ce qui n'est vraiment pas digne de Princesses Modèles !

— Sarah ! je m'écrie. Tu es folle ?!

— Chut ! Écoutez !

— Non ! On est déjà en retard et…

Mais Lucie m'attrape par le bras. Elle chuchote :

— Attends, Anna ! Moi aussi, j'entends quelque chose…

— On dirait un chat, ajoute Emma. Et il a l'air d'avoir besoin d'aide : écoute-le miauler !

Isabelle se retourne en pointant

l'index vers le palier, en haut de l'escalier.

— Regardez ! Là, en haut de l'armoire, près de la fenêtre ! Vous avez vu ce petit chaton noir ? Qu'est-ce qu'il est mignon !

— Le pauvre ! Il est coincé ! le plaint Inès.

Je tape du talon par terre et déclare :

— On ne peut pas l'abandonner comme ça. Prêtes, les filles ? Opération sauvetage déclenchée !

Chapitre deux

Nous remontons en vitesse l'escalier. Le chaton écarquille ses immenses yeux bleus. Il a l'air très inquiet.

— Il ne faut pas l'effrayer, recommande tout bas Lucie.

— Comment a-t-il fait pour se

retrouver là ? s'étonne Emma. C'est quand même très haut...

Sarah réfléchit une seconde.

— Il a dû s'accrocher au rideau de la fenêtre, grimper, et atterrir sur l'armoire. Et maintenant, il est coincé !

Inès tend les mains vers lui en claquant de la langue pour l'atti-

rer. Le petit chat la regarde. Il penche la tête sur le côté. Il comprend que nous voulons l'aider. Mais il n'ose pas sauter !

Lucie approche alors une chaise de l'armoire. C'est moi qui monte dessus pour aller chercher le chaton. Je le prends délicatement dans mes bras et il se blottit contre mon cœur. Sa fourrure est douce comme de la soie !

Je descends sans bruit de la chaise. Isabelle approche en souriant. Elle caresse le petit chat derrière les oreilles. Oh ! Il se met à ronronner !

— Il est adorable ! s'exclame

Inès. Vous croyez que nous pourrons le garder ?

— Nous devrions l'appeler Noires-Moustaches !

Emma me tapote l'épaule.

— Excellente idée, Anna ! Ça lui va comme un gant !

Je m'apprête à la remercier, quand une sonnerie stridente retentit dans l'école.

Mort de peur, Noires-Moustaches bondit de mes bras et s'enfuit dans le couloir. Je veux lui courir après, mais Lucie me retient.

— Anna ! C'était la sonnerie du premier cours de la journée !

Elle pâlit et ajoute :

— Oh là là ! Nous avons raté *tout* le petit-déjeuner !

— Hé, la Chambre des Lys ! crie soudain une voix hautaine, au pied de l'escalier.

Nous nous penchons par-dessus la rampe. Précieuse et Perla sont dans le Grand Hall.

— Le Roi Édouard veut vous voir dans son bureau immédiatement. N'est-ce pas, Précieuse ?

— Oui, et il est furieux !

— Il a même parlé de vous exclure quelques jours du Château de Nacre, persifle encore Perla.

À ces mots, Précieuse ricane.

Moi, je sens mon estomac se nouer ! Perla termine :

— Vous pouvez dire adieu au Bal de Bienvenue de ce soir, bande de flemmardes !

Et les jumelles s'éloignent d'un air satisfait. Nous soupirons, pas rassurées du tout !

— À votre avis, Perla disait la vérité ? murmure Lucie.

— Ce serait trop affreux, gémit Inès. J'adore les Bals de Bienvenue. C'est même ce que je préfère à la rentrée !

Emma essaie de nous réconforter :

— Ne vous inquiétez pas. Je suis sûre que le roi comprendra. Il suffit de lui expliquer que nous avons secouru un pauvre chaton…

— C'est ça ! dit Sarah en applaudissant. Le directeur sait qu'« Une Princesse Modèle doit venir en aide à tous ceux qui en ont besoin ». Et Noires-Moustaches avait vraiment des problèmes !

Sarah et Emma sont des amies merveilleuses. Elles voient toujours le bon côté des choses ! Grâce à elles, nous nous sentons cent fois mieux en arrivant au bureau du Roi Édouard. Isabelle lance :

— Vas-y, Anna ! Tu es la plus courageuse !

Je prends une profonde inspiration, puis je frappe à la porte.

— Entrez ! répond le roi d'un ton sévère.

Chapitre trois

Nous n'avons encore jamais parlé au Roi Édouard.

Hier, nous l'avons seulement aperçu quand il est passé devant nous, dans le Grand Hall, pendant que nous montions nos bagages au dortoir. C'est Alice, de la Chambre des Roses qui nous a dit qui il était. Sa sœur était élève ici l'année dernière, alors forcément, elle lui a déjà tout raconté ! Sur le moment, j'ai trouvé que notre nouveau directeur avait l'air plutôt gentil.

Mais maintenant, en entrant dans son bureau, je change complètement d'avis ! Il est assis dans son grand fauteuil, et il fronce les sourcils. Il gronde :

— Voici donc les six paresseuses qui s'imaginent pouvoir traîner au lit autant qu'elles en ont envie !

Il nous dévisage longuement. Il est très intimidant.

— Votre comportement est inadmissible, jeunes princesses. J'espère que vous avez une bonne explication à me fournir !

J'avance d'un pas. Je tremble un peu, mais je réussis quand même à faire une belle révérence.

— Nous sommes désolées, Votre Majesté. Nous n'avons pas entendu la cloche du petit-déjeuner, c'est vrai. Mais quand Marraine Fée est venue nous chercher, nous nous sommes préparées le plus vite possible !

Seulement, il y avait ce chaton noir, coincé sur l'armoire du palier. Alors, nous l'avons aidé à en

descendre, et ça a pris du temps…

— Le pauvre ! Il miaulait de désespoir ! enchaîne Sarah.

Nous regardons le Roi Édouard avec confiance. Il va forcément nous féliciter d'avoir agi en parfaites Princesses Modèles...

Mais au contraire ! Il se fâche tout rouge et s'écrie :

— Je n'ai jamais entendu d'excuse aussi absurde ! Comment osez-vous prétendre avoir vu un chat ? J'y suis allergique, justement ! Les chats sont interdits au Château de Nacre et je... A... A... ATCHOOOOUM !

Quel éternuement ! Tous les papiers du roi s'envolent de son bureau !

— Vous voyez ? grogne-t-il en

soufflant dans un immense mouchoir rouge. Vous me mettez

tellement hors de moi que j'éternue rien que d'y penser !

J'ai envie de lui répondre qu'il éternue parce qu'il y a vraiment un chaton dans l'école. Mais je me retiens : il est assez énervé comme ça !

— Je vous retire douze Points Diadème chacune ! nous punit-il. Deux pour vous être levées en retard. Et dix pour votre mensonge impardonnable ! Et puisque vous avez jugé que vous pouviez vous passer de petit-déjeuner, je vous dispense à mon tour de Bal de Bienvenue !

Il se mouche une deuxième fois avant de continuer :

— Vous avez de la chance que je ne vous exclue pas trois jours du Château de Nacre, princesses !

En revanche, vous n'irez pas en classe jusqu'à nouvel ordre. Allez rejoindre Lady Hortense, en Salle d'Étude, près du Réfectoire. Elle vous y attend avec des devoirs à faire. ATCHOUM !

Le roi nous montre la porte. Nous sortons en fixant le bout de nos chaussures...

J'ai l'impression que je vais m'évanouir ! Lucie sanglote :

— Oh là là ! C'était effrayant !

Nous hochons la tête.

Nous sommes si catastrophées que nous nous rendons en silence à la Salle d'Étude. Lady Hortense est déjà là. Elle est très grande, très maigre, et porte une minuscule paire de lunettes au bout de son nez pointu. Nous nous asseyons vite. Lady

Hortense articule sèchement :

— Bonjour, princesses. Veuillez vous présenter, je vous prie.

Elle inscrit nos noms dans un grand cahier. À la fin, elle renifle avec dédain en nous regardant par-dessus ses lunettes.

— Les élèves de la Chambre des Lys ! Je suis très étonnée, mesdemoiselles. La directrice du Palais Rubis nous avait dit le plus grand bien de vous !

— Il faut nous croire, Lady Hortense ! je m'exclame alors. On ne l'a pas fait exprès !

Sarah s'efforce de sourire. Elle insiste :

— Oui, Anna a raison. Nous voulions juste sauver un petit

chat noir, bloqué en haut de l'armoire…

— Nous nous sommes réveillées tard. Mais si nous avons raté tout le petit-déjeuner, c'est à cause du chaton !

Je suis certaine que le meilleur moyen de se faire pardonner est de raconter la vérité !

Sauf que Lady Hortense croise les bras d'un air choqué. Elle nous prend pour des menteuses, elle aussi !

Je frissonne. Je ne sais plus quoi faire !

Si seulement Marraine Fée était là… Elle nous connaît depuis longtemps. Elle pourrait tout arranger. Elle assurerait à Lady Hortense que nous ne mentons jamais. Même pour nous tirer d'affaire !

« Marraine Fée ! Marraine Fée ! » je souhaite au fond de moi.

Et soudain, je n'en crois pas mes yeux ! La porte de la Salle d'Étude s'ouvre, et Marraine Fée entre en claquant des talons.

L'ennui, c'est qu'elle n'est pas venue pour nous aider…

Elle est immense, comme quand elle est très, très, très en colère !

Elle s'écrie :

— Le Roi Édouard vient de me prévenir de votre conduite

scandaleuse, princesses ! Je suis extrêmement déçue !

Chapitre quatre

Je reste bouche bée.

Je n'ai encore jamais vu Marraine Fée aussi furieuse ! Et puis, brusquement, il se passe quelque chose de très bizarre…

Je me mets en colère, moi aussi !

Sur mon dernier bulletin de notes, l'Enchanteresse a noté : *Princesse Anna n'est pas la plus parfaite des Princesses Modèles. Mais elle est appliquée, sérieuse, et digne de confiance.*

Si c'est vraiment ce qu'elle pense de moi, elle devrait au moins écouter ma version de l'histoire avant de douter de ma parole !

Je prends mon courage à deux mains. Je quitte mon bureau et je me précipite vers la porte en lançant :

— C'est injuste, Marraine Fée ! *Nous*, on ne vous laisserait jamais tomber aussi facilement... Nous avons réellement trouvé un petit chat, et tant pis si personne ne le croit, parce que c'est la vérité. D'ailleurs, je vais le chercher pour vous le prouver !

Et je sors de la Salle d'Étude d'un pas déterminé.

Mon cœur bat à cent à l'heure. Ce que je viens de faire est horriblement malpoli. D'ailleurs, ça ne m'étonnerait pas que l'Enchanteresse me transforme en crapaud… même si ce n'est pas du tout son genre !

Je traverse le Grand Hall rapidement.

Isabelle, Inès, Lucie, Emma, Sarah et moi, nous n'avons jamais menti de toute notre vie. Et ce n'est pas aujourd'hui que nous allons commencer !

Je grimpe l'escalier quatre à quatre.

Sur le palier, près de l'armoire, j'appelle :

— Minou ? Où es-tu, Noires-Moustaches ? Minou, minou !

Mais il n'est pas là.

Alors, je cours fouiller la Chambre des Lys.

Je vérifie sous les lits. J'inspecte chaque penderie. Je regarde même dans nos tables de nuit ! Mais pas de Noires-Moustaches.

— Montre-toi, chaton ! Sois mignon ! je crie dans le couloir.

Je décide d'explorer tous les dortoirs. Rien ne m'arrêtera. Je découvrirai coûte que coûte où se cache Noires-Moustaches !

Je commence par la Chambre des Roses, qui est juste à côté de la nôtre. Le chaton ne s'y cache pas. Je me dirige vers le dortoir suivant.

La porte est entrouverte. Je me glisse à l'intérieur : c'est la chambre de Précieuse et Perla ! Les jumelles ont une pièce pour elles toutes seules. Leurs parents refusent qu'elles en partagent une avec d'autres élèves.

Il y a des miroirs partout, dans la pièce. Et beaucoup de tableaux.

Un portrait de Précieuse et Perla. Ainsi que celui d'une reine à l'air hautain et désagréable : la mère de ces pestes, j'en suis sûre !

Je m'apprête à passer dans la chambre d'à côté, quand un *miaou !* aigu attire mon attention. Je fais volte-face. Une adorable boule de poils toute noire sort en se dandinant de sous l'un des lits.

— Noires-Moustaches !

— Miaou ! répète-t-il tandis qu'il approche de moi.

— Tu as besoin de compagnie, mon chaton...

Je me penche pour le prendre dans mes bras. Je le serre fort contre moi et je l'embrasse.

Mais tout à coup, une voix retentit dans mon dos :

— Ne te gêne pas surtout, Anna ! Tu pourrais nous dire ce que tu fabriques dans *notre* chambre ?!

Je sursaute. Précieuse et Perla sont à la porte. Elles semblent très en colère. Je recule d'un pas et je marche sur quelque chose, sur le tapis. Je baisse les yeux. Ça alors ! Une écuelle pour chat ! Je bégaie :

— Le chaton est à vous ?

— Il est à Précieuse. C'est *elle*, qui l'a apporté au Château de Nacre !

— N'importe quoi, Perla ! C'était *ton* idée ! proteste sa sœur.

Je secoue la tête.

— Écoutez, je m'en fiche complètement, de savoir à laquelle d'entre vous il appartient. Par contre, à cause de vous, nous avons de très gros problèmes, à la Chambre des Lys !

— Ah oui ? se moque Perla.

Oh, ça m'embête beaucoup pour vous !

Et cette chipie ramasse l'écuelle de Noires-Moustaches. Elle me la tend en ajoutant :

— Tiens, tu peux garder Réglisse. Je n'en veux plus. Il

s'enfuit tout le temps, j'en ai assez !

Réglisse ? Je préfère Noires-Moustaches ! Je souris à l'idée de l'adopter. Mais Précieuse fond en larmes.

— Tu n'as pas le droit, Perla ! Je l'aime, moi, Réglisse !

— Dans ce cas, débrouille-toi toute seule pour qu'il ne s'échappe plus, persifle sa jumelle. Moi, je vais m'amuser.

Elle se retourne vers la porte… et tombe nez à nez avec le Roi Édouard et Marraine Fée.

Chapitre cinq

— ATCHOUM !

Le Roi Édouard se met à éternuer, et éternuer ! Vite, je m'éloigne de lui avec le chaton. Je vais jusqu'à l'escalier. Justement, Emma monte les marches en courant.

— Tu vas bien, Anna? demande-t-elle, inquiète. Lady Hortense nous a dit que le roi allait te renvoyer chez toi!

Je lui tends alors le chaton.

— Surveille Noires-Moustaches

pendant que j'essaie d'expliquer à tout le monde ce qui se passe, Emma…

Je retourne rapidement à la chambre des jumelles. Le Roi Édouard éternue un peu moins. Il s'essuie les yeux et se mouche.

— Pardonnez-moi, Votre Majesté. Mais vous voyez que nous n'avons pas menti. C'est ce chaton que nous avons trouvé sur l'armoire ce matin !

— Comment est-ce possible ? D'où vient-il ?

Perla me jette un regard mauvais et s'exclame :

— Il appartient à Anna, Votre

Altesse ! Elle nous montrait son écuelle il y a une minute à peine, n'est-ce pas, Précieuse ? Elle est très fière d'avoir si bien réussi à le cacher dans son dortoir...

Elle attrape alors sa sœur par le bras en ajoutant :

— Elle n'arrêtait pas de se vanter, vous savez. Nous, nous avions très peur d'arriver en retard en classe. Pas vrai, Précieuse ? Dépêchons-nous !

Et elles se ruent dans le couloir. Ces deux lâches se sauvent... en abandonnant leur chaton ! Heureusement, Marraine Fée se méfie. Elle ordonne :

— Stop ! Princesse Perla ! Princesse Précieuse ! Ne faites plus un pas !

— ATCHOUM ! recommence soudain à éternuer le Roi Édouard. ATCHOUM ! ATCHOUM !

Marraine Fée me dévisage. Elle pousse un soupir, mais cette fois-ci, elle me sourit.

— Princesse Anna, mon enfant. Voulez-vous reculer, je vous prie ? Vous teniez le petit chat dans vos bras. Ce sont les poils qu'il a laissés sur votre robe qui gênent Sa Majesté !

Je m'empresse de m'écarter du directeur. Et brusquement, je

comprends quelque chose ! Folle de joie, je m'écrie sans même m'apercevoir que c'est impoli :

— Voilà pourquoi vous avez

éternué, ce matin, Votre Altesse ! Quand nous sommes arrivées dans votre bureau, nous venions de caresser le chaton. Il avait sûrement laissé quelques poils sur nous !

— Je… ATCHOUM !

Le roi est incapable de parler. Marraine Fée incline la tête et remarque :

— Je vous dois des excuses, ma chère princesse. Vous aviez raison, je me suis montrée injuste envers la Chambre des Lys. Un petit chat se promenait réellement dans l'école !

— Je veux savoir… ATCHOUM ! qui l'a amené ici ! parvient enfin à articuler le Roi Édouard. Est-ce vous, Princesse Anna ?

— Non, Votre Majesté. Je vous le promets.

— Il n'est pourtant pas venu tout seul au Château de Nacre ! Ce n'est qu'un chaton !

Je me mords les lèvres. Bien sûr, je connais la vérité. Sauf que je ne veux surtout pas rapporter. D'accord, cette peste de Perla m'a accusée. Mais justement : moi, je ne suis pas comme elle… et j'ai un plan.

— Votre Altesse ! Vous pouvez facilement découvrir d'où vient le chaton…

— Ah bon ? s'étonne le roi.

Marraine Fée pouffe, car elle a compris mon plan. Ouf ! Maintenant, tout va s'arranger !

— Princesse Anna suggère que vous inspectiez personnellement les dortoirs, Votre Majesté, explique l'Enchanteresse. Comme vous êtes allergique aux chats, vous éternuerez dès que vous entrerez dans la chambre de la propriétaire de ce chaton. Et le mystère sera éclairci.

Je fronce les sourcils. Si le Roi Édouard n'aime pas mon idée, il me grondera à nouveau... Mais il éclate de rire !

— Commençons donc par la Chambre des Lys ! déclare-t-il. Ainsi, nous en aurons le cœur net !

Il pousse la porte de notre chambre. Il attend une minute. Il inspire un grand coup... sans éternuer. Il ne tousse même pas un petit peu !

Et c'est exactement pareil dans les Chambres des Roses, des Coquelicots, des Tulipes, et des Jonquilles !

Enfin, nous arrivons à la chambre de Précieuse et de Perla...

— ATCHOUM ! ATCHOUM ! ATCHOUM ! ATCHOUM !

Le Roi Édouard a une crise d'allergie terrible ! Marraine Fée est obligée d'utiliser ses pouvoirs pour l'aider. Elle agite sa baguette magique. Aussitôt, un nuage d'étoiles scintillantes tourbillonne autour

de la tête du roi. Il éternue une dernière fois :

— ATCH-AH !

Et ouf ! Sa crise d'allergie est terminée !

Nous sommes rassurées. Sauf Perla, qui bat des cils et minaude :

— Le petit chat a dû se faufiler dans notre chambre par erreur. La porte était ouverte, tout à l'heure !

— C'est possible, en effet, admet Marraine Fée.

Elle me fait un clin d'œil rusé avant de continuer :

— Puisque ce chaton n'appartient à personne, le mieux est de le relâcher loin du Roi Édouard, dans la forêt. Il y vivra en liberté !

À ces mots, Précieuse se trahit :

— Oh non ! Je vous en supplie ! Pauvre Réglisse, il est habitué au confort de notre palais !

Elle fixe ses pieds, penaude, puis elle avoue :

— Je suis désolée, Marraine Fée. Avec Perla, cela nous faisait trop de peine de laisser Réglisse à la maison. Et puis, c'était amusant, de l'avoir au Château de Nacre !

— Et le règlement de l'école ? rappelle le roi. Les animaux domestiques, et spécialement les chats, ne sont pas autorisés dans l'établissement. D'abord, j'y suis allergique. Ensuite, vous êtes trop nombreuses. Mon château n'est pas un zoo !

Il croise les bras sur sa poitrine. Il est impressionnant ! Il ordonne :

— Princesses Précieuse et Perla ! Vous rapporterez Réglisse chez vous dès cet après-midi. Vous passerez la nuit là-bas et reviendrez au Château de Nacre demain. Nous oublierons tous ce fâcheux incident et vous prendrez un nouveau départ.

— Demain ? s'étrangle Perla. Mais nous allons rater le Bal de Bienvenue !

Le directeur lui jette un regard glacial. Elle bredouille :

— Oui, Votre Majesté.

Puis elle va docilement prendre le panier de transport du chaton, sous son lit.

— S'il vous plaît ! je m'écrie alors. Pouvons-nous dire au revoir

à Noires-Moustaches… heu, je veux dire Réglisse ?

— Bien sûr, me répond l'Enchanteresse en souriant. À condition cependant de vous laver les mains après l'avoir caressé… Ou le Roi Édouard risque d'éternuer toute la soirée !

— Merci, Marraine Fée !

Alors que je me dirige vers la porte, l'Enchanteresse me retient une seconde.

— Princesse Anna ! Prévenez vos amies de la Chambre des Lys : vous avez toujours deux Points Diadème en moins pour être descendues en retard ce matin. Mais je vous en donne dix chacune pour avoir été honnêtes, serviables et attentionnées. Je vous attends toutes en Salle de Réception. Ne soyez pas trop longues. Nous devons répéter la Polka du Château de Nacre pour le Bal de Bienvenue de ce soir !

Chapitre six

Qu'est-ce que c'est amusant d'apprendre à danser !

Nous répétons les pas de la Polka. Nous nous entraînons aussi à exécuter la Pirouette du Château de Nacre.

Nous passons une matinée fantastique ! Du coup, à l'heure du déjeuner, nous mourons de faim. Nous arrivons dans la salle

à manger quand le Roi Édouard entre en trombe dans le Réfectoire. Notre directeur a une importante annonce à faire !

— Princesses ! Comme je vous l'ai dit au petit-déjeuner...

Il s'interrompt pour nous regarder, Emma, Isabelle, Inès, Sarah, Lucie et moi. Nous rougissons ! Il reprend :

— Et comme je le répète à présent pour les six absentes de ce matin : je suis enchanté de vous accueillir au Château de Nacre !

Nous nous inclinons avec respect. Il renchérit :

— Je suis particulièrement fier de compter parmi vous une princesse qui a beaucoup de courage. Elle est prête à tout pour défendre la justice et la vérité. Mais il lui reste des efforts à faire pour se lever à l'heure !

Il se tourne vers moi.

— Princesse Anna ! Vous aurez l'honneur d'ouvrir le Bal de Bienvenue. Vous danserez la Polka du Château de Nacre en compagnie des élèves de la Chambre des Lys !

Tu t'en doutes, nous sommes ravies !

D'ailleurs, le Bal est une vraie réussite. Oui, tout est parfait… sauf un détail très étonnant : je regrette que Précieuse et Perla ne soient pas là !

Plus tard, quand nous nous couchons, j'avoue à mes amies que les jumelles m'ont un peu manqué.

— C'est idiot, remarque Inès. Ces deux pestes reviennent demain !

Sarah bâille et conseille :

— Ne bavardons pas. Si on se lève encore en retard, ce sera horrible !

— Soyez tranquilles. J'ai tout prévu, assure Lucie.

Elle pose quatre gros réveils sur sa table de nuit. Et nous éclatons toutes de rire.

Quelle belle soirée !

J'ai vraiment de la chance d'être au Château de Nacre. Ça va être une année formidable ! Tu sais pourquoi ?

Parce que j'y suis avec Isabelle, Lucie, Sarah, Emma, Inès…

Et avec toi aussi !

FIN

Que se passe-t-il ensuite ?
Pour le savoir,
regarde vite la page suivante !

L'aventure continue à la Princesse Academy avec Princesse Isabelle !

Les élèves du Château de Nacre partent en week-end étudier des animaux dans les Montagnes Magiques. Princesse Isabelle a de la chance : elle rencontre une licorne et son bébé. Elle a hâte de l'annoncer à son professeur. Mais Précieuse et Perla, jalouses, l'accusent d'avoir menti...

Les as-tu tous lus ?

Retrouve toutes les histoires de la Princesse Academy dans les livres précédents.

Princesse Charlotte ouvre le bal

Princesse Katie fait un vœu

Princesse Daisy a du courage

Princesse Alice et le Miroir Magique

Princesse Sophie ne se laisse pas faire

Princesse Émilie et l'apprentie fée

Saison 2 : les Tours d'Argent

Princesse Charlotte et la Rose Enchantée

Princesse Katie et le Balai Dansant

Princesse Daisy et le Carrousel Fabuleux

Princesse Alice et la Pantoufle de Verre

Princesse Sophie et le bal du Prince

Princesse Émilie et l'Étoile des Souhaits

Saison 3 : le Palais Rubis

Princesse Chloé entre dans la danse

Princesse Jessica a un cœur d'or

Princesse Marie garde le sourire

Princesse Olivia croit au Prince Charmant

Princesse Maya fait le bon choix

Princesse Noémie n'oublie pas ses amis

Princesse Noémie et la Serre Royale

Princesse Olivia et le Bal des Papillons

Table

« Pour l'éditeur, le principe est d'utiliser des papiers composés de fibres naturelles, renouvelables, recyclables et fabriquées à partir de bois issus de forêts qui adoptent un système d'aménagement durable. En outre, l'éditeur attend de ses fournisseurs de papier qu'ils s'inscrivent dans une démarche de certification environnementale reconnue. »

Imprimé en France par Jean-Lamour - Groupe Qualibris
Dépôt légal : mai 2009
20.24.1807.5/01 – ISBN 978-2-01-201807-5
Loi n°49-956 du 16 juillet 1949
sur les publications destinées à la jeunesse